まちごとチャイナ
重慶 004

大足
天国と地獄の「石刻絵巻」
［モノクロノートブック版］

JN122305

重慶と成都のちょうど中間に位置する大足(重慶市)。ここ大足には唐末から宋代にかけて彫られた石刻が75か所に渡って残り、とくに馬蹄形の断崖に変相図(仏教説話)が展開する「宝頂山」と、大足市街北部の「北山石刻」がその代表格となっている。

大足という街名は、唐代に「大いに足る(豊かである)」という意味でつけられ、以来、1000年以上この名前で呼ばれてきた。四川盆地に位置する大足は、物産豊かなうえ、華北と違って戦乱に巻き込まれること

も少なく、華北で仏教が衰退したあとも豊かな造像活動が続いた。

こうしたところから、黄河中流域の造仏に代わって、唐末から五代、北宋、南宋といった後期(9〜13世紀)の仏教石刻・石窟文化がこの大足で花開くことになった。保存状態も悪くなく、鮮やかな彫刻技術と造型は今なお健在で、1999年に大足石刻として世界文化遺産に指定されている。

Asia City Guide Production
Chongqing 004

Dazu

大足／dà zú／ダアズウ

まちごとチャイナ｜重慶 004｜

大 足

天国と地獄の「石刻絵巻」

「アジア城市（まち）案内」制作委員会
まちごとパブリッシング

Contents

重慶～成都

N

広元

巴中

閬中

綿陽

南充

成都

遂寧

四川省

安岳

重慶南

大足郊外

大足

楽山

内江

郵亭鎮

自貢

瀘州

長江

岷江

宜賓

重慶
重慶

貴州省

0km   200km

重慶の世界遺産大足へ

**シルクロードの仏教石窟が衰退しはじめたころ
それに代わるように長江上流域の四川盆地で
石刻（石窟）芸術が花開いた**

中国仏教石窟／石刻の世界

　インドから西域、そして中国にもたらされた仏教。仏教では、アジャンタ、エローラ（インド）でも見られるように、仏像や仏画を刻み、修行の場とした石窟が開削されていった。中国仏教石窟の場合、現存する最古の石窟（4世紀の北涼）を残す甘粛省「敦煌石窟」、初期（北魏）の山西省「雲崗石窟」、中期（北魏、唐）の河南省「龍門石窟」が代表的なものとなっている。これらシルクロード、華北に刻まれた石窟に対して、大足の石刻は中央から離れた四川盆地に刻まれたこと、廃仏のため華北で仏教石窟の造像がとまった唐末から南宋にかけての後期（9〜13世紀）の石刻が残ることを特徴

　xとする（大足では初唐の650年に尖山子摩崖造像から開削がはじまり、唐代、五代、北宋、南宋、明清時代まで開削が続いた）。四川地域は多雨多湿の気候のため、内部空間をもつ「石窟」は適さず、紅砂岩の岩壁を浅く彫った「石刻（仏龕）」形式であることも特筆される。敦煌や雲崗、龍門石窟にくらべて規模は大きくないが、大足では石刻の中国化が進み、仏教、道教、儒教の混交も見られ、漢民族の好む題材を扱う（密教色が強い）。また他の石窟群にくらべ、遅れて大足の調査研究ははじまり、1945年、楊家駱によってその価値が見出された。

大足のかんたんな歴史

　重慶四川地域に位置する大足は都からはるか遠く、唐宋時代まで、古代百越の一派である僚人が活動していたという。大足の発展は、安史の乱(755～763年)で唐の玄宗や多くの文人たちが四川へ逃れたことにはじまり、758年にこの街は大足と名づけられた。885年、昌州の治所が大足南西35kmの栄昌から大足へと遷され、大足は昌州の政治、経済、文化の中心となった。藩鎮の節度使が大足を拠点とした唐末五代と、宋代は大足が大いににぎわい、この時期に大足石刻が刻まれている(1279年、南宋が滅亡するまで昌州がおかれた)。その後、モンゴル軍の南宋末、明清交替期に人口が激減するなど、興廃を繰り返し、清初期に無人の荒野と化した四川盆地を湖南、湖北からの移民で埋めたことから、大足の言葉はこの地方のものに近いという(大足方言は、南方各省の移民によって形成された)。大足は長らく四川省の一部を構成していたが、1975年から重慶の管轄になり、1997年に重慶が直轄市となったことで大足も四川省から分離した。

大足という名前

　大足という街名は「大豊大足(大いに豊かで、大いに足る)」という意味で名づけられたとも、大足市街を東西に流れる大足川(瀬溪河)からとられたものだともいう。「天府の国」と称されるほど、大足の位置する四川盆地は物資が豊富で、唐代、大足川には商人が集まり、「豊足(豊富で、充実している)」していた。ほかには宝頂山石刻近くの聖跡池に残る、ブッダが昇天する前に残したという足跡(大足)からとられたという説もある。いずれにしても豊かな大足の経済力が、仏教石刻の造像活動を支えることになった。

世界遺産の大足石刻、あざやかに彩色されている

大足石刻の構成

　四川盆地を流れる河川、また街道沿いに石刻が刻まれ、広元、成都、岳山、巴中など、四川省東部から重慶市にかけて仏教石刻（石窟）が多く分布する。大足は四川盆地の東南に位置し、大足では北山や宝頂山を中心に75か所に渡って6万あまりの石刻が残る（香川県の8割ほどの面積）。これほど集中的に見られるところは重慶市大足と、隣接する四川省安岳ぐらいだという。大足市街の北側にあり唐末から五代にかけての仏教石刻が刻まれた「北山」、南側にあり道教石刻が見られる「南山」、また市街からは少し離れるが、大足石刻の白眉である大仏湾を擁する「宝頂山」、その他では「石門山」「石篆山」が代表的な大足石刻となっている（これらの石刻群は開削された時期やモチーフに差異があることから、唐代の堅い雰囲気から宋代の優美なたたずまいというように、それぞれの石刻や仏像によって趣が異なる）。この大足への足がかりとなるのが、成渝古道が走り、鉄道駅のある「郵亭」で、その北側の「龍水」は長らくこの地方の工業地として知られてきた。

大足／天国と地獄の「石刻絵巻」

Da Zu
大足市街城市案内

石刻の郷、五金之郷
そんな言葉で語られてきた大足
世界遺産の大足石刻への足がかりとなる街

大足旧城／大足旧城 ★★☆
dà zú jiù chéng
だいそくきゅうじょう／ダアズウジィウチャン

　大足の街は、瀬溪河のほとり（北側）に開け、唐代の758年に大足県がおかれた。「橋戸輻輳」と言われ、川の岸辺には船で運ばれてきた商品がずらりとならんでいたという。885年、昌州の政治、経済、文化の中心となり、唐末には節度使の拠点があった（北山石刻を開削した韋君靖の都がおかれたが、やがて成都の王建に征服され、数年後に唐朝も滅亡した）。北宋になると成都、重慶を結ぶ交通の往来が盛んになり、その中間にあり州内に塩井を抱える大足もにぎわって「海棠香国（海棠はバラ科の花）」ともたたえられた。清初期の戦乱で四川が無人の荒野と化したため、広東、江西、湖広などからの移民（客民）が大足にやってきて、彼らはいずれも本籍地の神を信仰した。清代の大足ではそれらをまつる廟や会館が数多くあり、同郷、同族による地主支配が見られた。清末から中華民国時代には、「大足県では仏・道ふたつあり、人びとは両教を信仰している」「（大足は）県下農村との一交易場であるに過ぎない」という記録も残る。大足は重慶と成都のちょうど中間に位置することから、両者の文化や食文化の融合の地であり、四川盆地内にある重慶市（重慶は四川盆地外）という性格をもつ。

大足

多宝塔
北山
北山
石刻

二環北路

石刻
博物館

宏声
文化広場

一環北路

宝頂山
石刻へ

龍中路

新市街

大足旧城

双塔路

新堤河街

龍崗路

商城
歩行街

東関
大橋

南門橋

一環南路中段

瀨溪河

昌州
古城へ

二環南路

五星
大道

南塔   0km

南山

南山
石刻

N

2km

大足旧城の構成

　　北山石窟のある龍崗山、南山石窟のある南山というように周囲を山に囲まれ、その中央を西から東に瀬溪河(沱江支流の大足川)が流れる。大足旧城はこの瀬溪河の北岸につくられ、唐宋時代は土城で、石の城壁をもっていなかった。その後の明清時代、大足県は円形に石の城壁をめぐらせ、南門橋がちょうど県城の正面(正門)にあたった。東は新堤河街、北は北環路が大足旧城の領域で、その中心が双塔路あたりだった。こうしたなか、現在では大足旧城の東城外の地が開発され、宏声文化広場を中心に大足新市街を形成している。

宏声文化広場／宏声文化广场 ★☆☆
hóng shēng wén huà guǎng chǎng
こうせいぶんかひろば／ホォンシェンウェンフウアグゥアンチャアン

　　大足旧城の東関(東門外)にあたった場所に整備された宏声文化広場。現在の大足市街の中心でもあり、人びとの集まる憩いの場となっている。広場の北側には大足区政府が位置し、広場から南に向かって真っ直ぐに龍中路が伸びている。宏声文化広場一帯にはかつて東関鎮があり、明代から橋があったという東関大橋が架かり、そこから大公路(現在の棠鳳路と石刻大道)が南東に伸びていた。

★★★
北山石刻／北山石刻 ベェイシャンシイカア

★★☆
大足旧城／大足旧城 ダアズウジィウチャン
双塔路／双塔路 シュゥアンタアルウ
多宝塔／多宝塔 ドゥオバァオタア
南山石刻／南山石刻 ナァンシャンシイカア

★☆☆
宏声文化広場／宏声文化广场 ホォンシェンウェンフウアグゥアンチャアン
大足商城歩行街／大足商城步行街 ダアズウシャンチャァンブウシィンジエ
大足石刻博物館／大足石刻博物馆 ダアズウシイカアボオウウグァン
南塔／南塔 ナァンタア

大足旧城

北山
石刻へ

一環北路

宏声
文化広場

一環北路西段

石刻
博物館

報恩路

新市橋

一環北路

龍中路

双塔路

大足旧城

商城歩行街

新堤河街

龍南路

瀬溪河

南門橋

0km 2km

一環南路中段

N

明清時代の大足旧城

現在の
一環北路

城壁

西門

現在の双塔路

大足旧城

東関

瀬溪河

南門

東門

東関
大橋

双塔路／双塔路 ★★☆
shuāng tǎ lù
そうとうろ／シュゥアンタアルゥ

　明清時代以来の大足旧城の中心で、南北に通りが続く双塔路。こぢんまりとしているが、あたりには商店や料理店がならぶ。この双塔路と瀨溪河(大足川)の交わる地点に大足旧城の正門(南門)がおかれていた。双塔路は旧南門外の南山・南塔と、北山・北塔を結ぶ中軸線でもある。

大足商城歩行街／大足商城歩行街 ★☆☆
dà zú shāng chéng bù xíng jiē
だいそくしょうじょうほこうがい／ダアズウシャンチャァンブウシィンジエ

　明清時代の大足旧城中心部に位置する大足商城歩行街(大足旧城は、現在の市街西半分にあたる)。通りの両脇には店舗がならび、歩行街として整備されている。大足商城歩行街に並行して双塔路が走り、北側で老北街と通じる。

大足石刻博物館／大足石刻博物馆 ★☆☆
dà zú shí kè bó wù guǎn
だいそくせっこくはくぶつかん／ダアズウシイカアボオウウグァン

　世界遺産に指定された大足石刻の展示研究を行なう大足石刻博物館。「中国仏教芸術陳列庁」「大足石刻芸術陳列庁」からなる。またこの大足石刻博物館とは別に、宝頂山石刻にも博物館が整備された。

新市街にある宏声文化広場

大全宾馆
电话:43776566

大足旧城の中心にあたる双塔路

昌州古城／昌州古城 ★☆☆

chāng zhōu gǔ chéng

しょうしゅうこじょう／チャアンチョウグウチャアン

大足／天国と地獄の「石刻絵巻」

　昌州は唐代の758年に、重慶市西部（栄昌、大足、永川など）を行政単位として設置された。当初は栄昌に行政府がおかれたが、885年に大足に遷され、大足が昌州の政治、経済、文化の中心となった。当時の大足は、瀬溪河（大足川）の沿岸に人や物資が各地から集まる「橋戸輻輳」の状態だったという。唐末、北山石刻を開削した節度使の韋君靖は、この昌州を拠点としたが、やがて同じ節度使の成都の王建に滅ぼされた（王建は五代十国「前蜀」を建国した）。この昌州古城は当時の昌州を再現すべく新たに建てられたもので、城楼、古県衙、米店、客桟などが見られる。昌州（栄昌や大足）は「海棠香国（バラ科の海棠が香る都）」や棠城とたたえられ、五代から宋代にかけてにぎわった。

北山鑑賞案内

**唐末、この地方の節度使によって
開削がはじめられた北山石刻
それは世界遺産大足石刻群の胎動のときでもあった**

北山石刻／北山石刻 ★★★
běi shān shí kè
ほくさんせっこく／ベイシャンシイカア

　大足市街の北2kmに位置する高さ560mの北山こと龍崗
山に展開する北山石刻。唐末の892年、この地方の昌州刺史
の韋君靖が自らの拠点(昌州＝大足)そばの龍崗山に食料の貯
蔵地、駐屯地として永昌寨を築き、その西壁に仏龕を開削し
た。同時に仏教寺院を整備して、仏の加護で人びとが安泰に
暮らせるように祈念した。その後、唐末から五代、南宋まで、
大足の官吏や名士、仏教僧、人びとによる造像が250年がか
りで継続し、1162年には現在の北山石刻の姿になった。宝
頂山石刻にくらべて年代が早く、唐末の純粋な仏教様式か
ら、五代、宋代の庶民的な仏教美術へと、時代の変遷を物語
る石刻群が残る。また仏教経典や仏教の教えにもとづく図
象が多く、くわえて当時の四川という地域性(密教化した仏教)
も特徴となっている。1999年に世界遺産に指定された。

北山石刻の構成と神さま

　北山(龍崗山)の仏湾、北塔、常盤坡、観音坡、仏耳岩などに
刻まれた仏教石刻群、また寺廟。このなかで仏湾をいわゆる
北山石刻と呼び、南から北まで全長300m、高さ7～10mの新

北山石刻は宝頂山とならぶ大足石刻の傑作

月状の石崖(大足石刻北山長廊)に石刻が残る。南段から開削がはじまって唐代と五代のものが見られ、北段は北宋、南宋時代のものが多い(あわせて264の中小の窟と龕、7の石碑、8つの経巾童、10の題記)。北山石刻の彫られた唐宋時代は観音信仰の黄金時代で、さまざまな種類の観音像、そして阿弥陀仏も見られる。また宋代の水月観音は観音の名前がついているが、実際は中国独自の諸神崇拝が観音化されている。北山石刻のうち、唐代のものとして「西方浄土変」「薬師仏」「地蔵観音並列像」「千手観音」「毘沙門天像」、五代と宋代のものとして「熾盛光仏」「地蔵十王」「水月観音」「孔雀明王」「羅漢淵源」などが挙げられる。宋代の仏像は密教(後期仏教)的な要素が色濃い。

韋君靖碑(第2号)／韦君靖碑 ★☆☆
wéi jūn jìng bēi
いくんせいひ／ウェイジュンジィンベェイ

　唐末、大足北山石刻を開削した昌州刺史の韋君靖の碑。韋君靖は陝西省の人で、勇武知兵で知られ、唐末の昌州刺史となり、以後、昌(大足)、普(内江)、渝(重慶)、合(合川)の四州を指揮下においた(配下の武将と子弟関係を結び、小型藩鎮をつくった)。892年、韋君靖は永昌寨＝北山石刻を築き、この韋君靖碑は895年に刻まれた。高さ1.8m、幅3mで、当時の成都の王建に対抗するために永昌寨を造営した旨が記されている。韋君靖碑に隣接して韋君靖像(第1号)が残る。

毘沙門天王像(第5号)／毗沙门天王像 ★☆☆
pí shā mén tiān wáng xiàng
びしゃもんてんのうぞう／ピイシャアメェンティエンワンシィアン

　毘沙門天は仏教の護法神で、四天王のひとり。北方の守護神であることから北方天王ともいう。毘沙門天王像は甲冑を身にまとった高さ2.5m、幅0.83mで黄砂岩製(龕の高さ2.95m、幅2.74m)。ふたりの頭を踏みつけ、ひとりの頭のうえに坐る

姿は、勝利を象徴する。

千手観音像(第9号)／千手观音像 ★☆☆
qiān shǒu guān yīn xiàng
せんじゅかんのんぞう／チィエンショウグゥアンインシィアン

　韋君靖の命で彫刻された千手観音像。千手観音は唐宋時代の四川地域で好まれた神さまで、人びとの願いをかなえるため千の手をもつ(実際は省略されている)。金剛座に坐る灰砂岩製の像は、高さ1.56m、幅0.54mで、晩唐時代のもの。

釈迦牟尼仏像(第10号)／释迦牟尼仏像 ★☆☆
shì jiā móu ní fó xiàng
しゃかむにぶつぞう／シイジィアモゥウニイフオシィアン

　ブッダこと釈迦牟尼仏が安置された釈迦牟尼仏像。袈裟を着て、結跏趺坐した高さ1.24m、幅0.62mの坐像で、晩唐に制作された。釈迦牟尼仏像の両脇には、重厚な迦葉と若々しく聡明なアーナンダの像が立つ。

三世仏(第51号)／三世佛 ★☆☆
sān shì fó
さんせいぶつ／サァンシイフオオ

　過去・現在・未来の3世が描かれた三世仏。中心に結跏趺坐した釈迦牟尼仏(現在)が位置し、両端が迦葉仏(過去)、弥勒仏(未来)となっている。灰砂岩で、晩唐のもの。

古文孝経碑／古文孝经碑 ★☆☆
gǔ wén xiào jīng bēi
こぶんこうきょうひ／グゥウェンシィアオジンベィイ(第103号)

　北山石刻仏湾、北段部分の最南端に残る古文孝経碑。南宋孝宗(1163～94年)時代の石碑で、孔子が述べたという『孝経』が刻まれている。『孝経』は儒家が理想とした教えで、「古文(22章)」と「今文(18章)」あるが、「古文(22章)」が残されている

龍崗山牌坊、ここから先が北山こと龍崗山となる

のはめずらしい。高さ3.26m、総長は8.14mになる。

蔡京碑（第104号）／蔡京碑 ★☆☆
cài jīng bēi
さいきょうひ／ツァイジンベェイ

　南宋孝宗（1163〜94年）に刻まれた蔡京碑。宋代の書法家蔡京によるもので、38行、2645字が残る。白砂岩の碑の高さは3.79m、幅は1.36mで、趙懿簡公神道碑ともいう。

水月観音像（第113号）／水月观音像 ★★☆
shuǐ yuè guān yīn xiàng
すいげつかんのんぞう／シュイユウエグゥアンインシィアン・

　北山石刻を代表する高さ53cmの水月観音像。背後に円形の背光があり、右膝を立て、花冠を頭に載せる。水辺の近くに坐り、静かなたたずまい、温和な表情で水中の月を見ている。左手は蓮華のつぼみをもち、右手は施無畏印を結んでいて、そのたたずまいから風流観音とも呼ばれる。水月観音は33観音のひとつで宋代以後流行し、中国人が好む観音でもある（中国土着の神さまが観音化された）。北宋時代に制作された。

数珠手観音像（125号）／数珠手观音像 ★★☆
shù zhū shǒu guān yīn xiàng
じゅずしゅかんのんぞう／シュウチュウショウグゥアンインシィアン

　大足北山石刻でもっともすぐれた彫像にあげられる数珠手観音像。長いあいだ、土のなかに埋もれていたが、1933年に掘り出された。美しいまぶた、柔和な肌など、美少女のような可憐なたたずまいを見せ、「媚態観音」とも、「東方のヴィーナス」とも呼ばれる（観音＝アバロキタスバラはもともと男性だが、中国で女性化された）。右手に数珠を、左手で右手をもつ高さ92cmの彫刻で、宋代に彫られた。

北山石刻は唐末から五代、宋、南宋にかけて彫られた

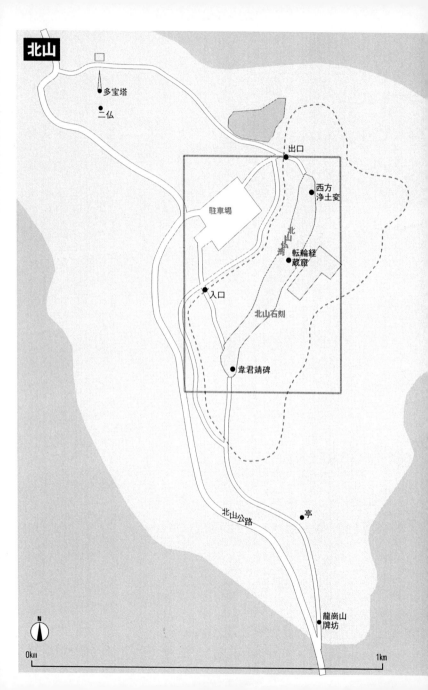

北山

多宝塔

二仏

出口

西方
浄土変

駐車場

北
山
湾

転輪経
蔵窟

入口

北山石刻

韋君靖碑

亭

北山公路

龍崗山
牌坊

N

0km   1km

摩利支天像（第130号）／摩利支天像 ★☆☆
mó lì zhī tiān xiàng
まりしてんぞう／モオリイチイティエンシィアン

　3つの頭、左右4本ずつある手をもつ摩利支天（マーリーチー）の像。陽炎、太陽神スーリヤを中国化させた神さまで、像の高さ1.32m、口を開けて笑みを見せる。宋代に制作され、中国ではめずらしい神像となっている。

転輪経蔵窟（136号）／転轮经藏窟 ★★★
zhuàn lún jīng zàng kū
てんりんきょうぞうくつ／チュアンルゥンジィンザァンクウ

　南宋の紹興年間（1142〜46年）に彫られた、大足北山石刻でも20あまりの神像彫刻群が集まる転輪経蔵窟。高さ4.05m、幅4.13m、奥行き6.07mの石窟の中央に、輪廻を表す八角形の支柱（転輪経、8本の龍身の柱）が立つことから転輪経蔵窟の名がある。また心神車の彫刻にちなんで心神車窟ともいう。正面壁には「釈迦牟尼仏」、その左右に「迦葉」「浄瓶観音」と、「阿難」「大勢至菩薩」が位置する。また左壁には自信に満ちた獅子に乗る「文殊菩薩」、玉印を結んでいる高さ1.43mの「玉印観音」、高貴なたたずまいの「如意珠観音」、右壁には中国女性を思わせる「普賢菩薩」、保存状態の良い高さ1.47mの「日月観音」、「数珠手観音」が展開する。

★★★
北山石刻／北山石刻 ベェイシャンシイカア
転輪経蔵窟／转轮经藏窟 チュゥアンルゥンジィンザァンクウ
★★☆
西方浄土変／西方净土变 シイファンジィントゥビィエン
多宝塔／多宝塔 ドゥオバァオタア
二仏／二佛 アアフウ
★☆☆
韋君靖碑／ 韦君靖碑ウェイジュンジィンベィ

北山石刻

出口

西方浄土変

北段

孔雀明王像

北山溝

転輪経蔵窟

摩利支天像

数珠手観音像

水月観音像

北山石刻

蔡京碑

古文孝経碑

南陵

入口

駐車場

三世仏

釈迦牟尼仏像

千手観音像

毘沙門天王像

韋君靖碑

N

0m   200m

孔雀明王像（155号）／孔雀明王像 ★☆☆

kǒng què míng wáng xiàng

くじゃくみょうおうぞう／コンチュエミィンワンシィアン

　　結跏趺坐した孔雀明王と、明王の乗る蓮台を支える孔雀が刻まれた孔雀明王像(大仏母孔雀明王窟)。この像は北宋の1126年に彫られ、孔雀明王は左の上の手は経典、下の手は扇を握り、右の上の手は如意珠、下の手は孔雀の羽毛を握る。密教的要素が強いとされ、陀羅尼の威力を神格化したという(孔雀明王は、宝頂山と北山の双方に認められる)。中央の柱に刻まれた高さ3.47m、幅3.22mの孔雀明王像の、周囲の三面には千仏が配置されている。

西方浄土変（245号）／西方浄土変 ★★☆

xī fāng jìng tǔ biàn

せいほうじょうどへん／シイファンジィントゥビィエン

　　530体の人物像、30種類の楽器はじめ極楽世界が描かれた西方浄土変(観無量寿経変相龕)。阿弥陀如来を教主とする極楽浄土は西方にあると考えられ、念仏を唱えれば誰でも救済され、極楽浄土に往生するという(仏教の一派であるこの浄土教は唐代に盛んになった)。幅2.6m、高さ3.85mの石刻の中央には

阿弥陀仏、観音、大勢至の西方三聖が位置し、その上部には西方極楽浄土、中央下には極楽往生にあたっての階位である三品九生、下部には古代インドの宮廷争いが描かれている。唐末（892～906年）の楽器、建築、服飾、舞踏など、豊富な意匠や遠近法を今に伝える石刻で、晩唐の傑作芸術にあげられる。

多宝塔／多宝塔 ★★☆
duō bǎo tǎ
たほうとう／ドゥオバァオタア

　　北山石刻（仏湾）と対峙するように、丘陵の頂にそびえる高さ31mの多宝塔。北塔ともいい、南宋の紹興（1148～1154年）年間に建てられ、明清時代に改修された。八角形のプランをもち、中は8層、外は13層で、頭頂には大きな宝珠が載っている。この宝塔の様式は、数多くの檐（軒）が密集していることから、密檐式塔という。多宝塔とは『法華経（宝塔品）』に記された、釈迦牟尼仏と多宝仏の二仏が並座する塔を意味する。

二仏／二佛 ★★☆
èr fú
にぶつ／アアフウ

　　二仏は多宝塔の前に位置する2体の大仏で、北山背塔二仏（塔を背にした2体の仏像）とも呼ぶ。ともに高さ10mほどで、両手をひざに載せる釈迦牟尼仏と、左手で鉢をもつ多宝仏がならんで坐る。多宝仏は東方の宝浄国の教主で、『法華経』説法の際に宝塔を出現させたという。多宝仏がこの宝塔中の半座を釈迦牟尼仏に譲ったという話をもとにこの二仏（二仏並座）は刻まれた。北山石刻で最大の仏像となっている。

多宝塔とその前に坐る二仏

ふくよかな体型の釈迦牟尼仏像

四川重慶でよく見られる千手観音像

北山石刻を代表する仏像のひとつ水月観音像

摩利支天像はインド的要素が強い

Nan Shan
南山鑑賞案内

大足市街の南郊外に広がる南山
北山仏教石刻と対象的に
こちらではめずらしい道教の石刻が見られる

南山石刻／南山石刻 ★★☆
nán shān shí kè
なんざんせっこく／ナァンシャンシイカア

　大足市街から南に2kmのところにあり、市街をはさんで北山と対峙する南山に残る南山石刻。この山は広華山とも呼ばれ、樹木がしげる幽玄な世界に包まれていて、街を包みこむ「南山翠屏」を形成する。南山石刻は先にはじまった北山の仏教石刻に対抗するように、道教側が南宋の紹興年間（1131〜62年）に造像をはじめた。宋代の大足は東州道院と呼ばれ、道教が栄え、南山には玉皇観（南禅寺）が立っていた（道教と仏教が市街をはさんで南北で対峙する状態になった）。南山石刻では、長さ86m、高さ3.5m〜10.2mほどの断崖に500余体の道教像が残り、宋代の道教石窟のなかでもっとも保存状態のよいものとなっている。

后土三聖母（第4号）／后土三圣母 ★☆☆
hòu tǔ sān shèng mǔ
こうどさんせいぼ／ホォウトゥサァンシェンムウ

　南宋時代に開削され、道教の地母神が刻まれた后土三聖母（送子娘娘）。龕の高さ3.15m、幅2.75mで、正壁の后土三聖母のほか、左壁には九天監生大神、右壁には九天送生夫人の姿もある。

三清古洞（第5号）／三清古洞 ★☆☆
sān qīng gǔ dòng
さんせいこどう／サァンチィングゥドォン

　南宋紹興年間(1131〜62年)のもので、道教の最高神である
三清と四御が刻まれた三清古洞。上清霊宝天尊を中央に、両
脇に玉清元始天尊、太清太上老君が配置され、三清を補佐す
る四御(玉皇大帝、紫微大帝、勾陳大帝、后土皇祇)の姿も見える。左
側壁面上部には青、赤、緑で彩色された「天尊巡游図」があ
り、三清古洞全体で道教の世界観が示されている。また甬道
の壁には230の道教の神さまの像が残るほか、外側壁面には
黄道十二星宮が刻まれている。

龍洞（第15号）／龙洞 ★☆☆
lóng dòng
りゅうどう／ロォンドォン

　身を4度折り、頭を東に、尾を西に向ける石龍が刻まれた
龍洞。前の両爪を石の上に、後ろの両爪を地面におき、天を
飛ぼうとする姿勢を見せる。石窟の大きさは高さ3.46m、幅
2.10mになる。

南塔／南塔 ★☆☆
nán tǎ
なんとう／ナァンタア

　南山石刻西方の南塔坂にひっそりと立つ大足南塔(文峰
塔)。北塔にくらべて新しく、清代の同治帝(1861〜75年)時代
の創建で、円形プランをもつ9層の塔となっている。

三清古洞、南山石刻では道教石刻が見られる

山の頂点にひっそりと南塔が立つ

大足は密教の一大道場

インドで大乗仏教末期に形成された密教
唐代、中国密教は全盛となったが華北ではすたれ
四川盆地で受け継がれることになった

密教と四川の柳本尊

　大足では晋(265〜420年)代から仏教が信仰され、唐宋時代に盛んになった。次々に西域から仏教僧が渡来するなかで、中国では善無畏の『大日経』、金剛智の『金剛頂経』などの翻訳で、唐代の8世紀には密教が知られるようになった。陀羅尼(呪文)や図像をもちいた瞑想、呪術的要素を特徴とする秘密仏教(密教)で、中国では瑜伽宗、秘密宗、密宗とも呼ばれた(チベット経由で伝わった「蔵密」と、漢族に受け入れられた「漢密」は系統が異なる。呪法や符法、壇法は密教と道教の両者にある)。こうしたなか、唐末の成都に柳居直(855〜942年)という密教系の半僧、瑜伽行者が現れた。柳居直は目をえぐり、耳を切り、指を焼くなど、十煉の苦行を修め、秘密呪を念仏して、水を薬と化し、人びとの病気を治していた。戦乱に苦しむ民衆を救済していく柳居直は、「柳本尊」と呼ばれて崇拝され、柳本尊教派(民間仏教集団)は成都を中心に信者を広げていった。やがて前蜀の高祖王建の庇護を受け、柳本尊は「成都瑜伽教主」と呼ばれるようになった。この柳本尊が布教を行なっていた時期は、ちょうど韋君靖が大足北山石刻の造像をはじめていたころ(892年)と重なる。

054

柳本尊から趙智鳳へ

　1160年、大足東部の米糧郷(弥陀郷、宝山頂の南)で趙智鳳は生まれた。趙智鳳は16歳のときに、弥牟鎮本尊院に趣き、柳本尊教派の教えを学んだ(ここはかつて柳本尊が教化した地であった)。やがて趙智鳳は故郷(大足)に帰り、柳本尊の苦行にならって、耳を切りとり、頭頂を焼くなどの苦行をし、布教活動を行なった。趙智鳳は資金を募って、宝頂山に聖寿寺を建て、70年がかりで小仏湾と大仏湾を中心に1万あまりの磨崖仏を彫った。それらは水陸法会の収入や塩業の援助者から資金が工面されたもので、大足は未曾有の密教道場へと変貌した。こうして宋代以後、成都近郊で衰退していた柳本尊教派の拠点は、それまでの成都と広漢から、四川盆地東南部の大足、安岳あたりに遷り、趙智鳳は柳本尊教派の「中興の祖」となった。密教では、師と弟子は特殊な関係をもち、法を授ける阿闍梨(師)は大日如来の顕現ともされるため、趙智鳳は終生、柳本尊への信仰を続けた。

石刻で表現された変相図

　仏教経典の多種多様な内容を、大きな壁面に描き出すことは、唐代、都市の仏教寺院で盛んに行なわれた。こうした何らかの説話(仏教説話)の主題を視覚した造形を「変相図」と呼び、長安や洛陽から四川盆地にも伝わった。「変」とは「動き」を、「変相」とは「動きの相」を意味し、大足石刻では経文を絵画や彫刻に変えた、この変相図が展開する。図像を連続させて話の内容を動的に表現する変相図は、文字の読み書きができなくともわかりやすく、民衆の教化に効果を発揮した(ある人が苦しむさまを図にしたものを、「地獄変」「地獄変相」と呼び、人びとの道徳観の形成に役立った)。大足宝頂山にも、引香師という絵解き僧がいて、石刻の内容を平易に説き聞かせていたという。

南宋時代の人びとの様子がいきいきと描かれている

宝頂山鑑賞案内

「上に峨眉を朝し、下に宝頂を朝す」
峨眉山に匹敵するとさえ言われた大足宝頂（仏教霊山）
70か所におよぶ大足石刻のなかの最高峰

宝頂山石刻／宝顶山石刻 ★★★
bǎo dǐng shān shí kè
ほうちょうさんせっこく／バァオディンシャンシイカア

　大足市街の東北15km位置し、70年の月日をかけて開削された石刻が残る宝頂山。唐末、柳本尊が開いた柳本尊教派の道場があり、南宋時代、その仏教を再興させるべく、趙智鳳（1159年〜）によってここに一大密教道場が造営された。1177年、小仏湾そばにまず聖寿寺を建立し、その後、1179年に宝頂山石刻の開削がはじまった。高さ15m、全長280mの馬蹄形の石崖に31の龕と窟がならび、造像、経変、石碑、舎利塔など、四川仏教を代表する仏教石刻が現れた。この宝頂山石刻は、治病、除災、祈雨といった現世利益に対する宋代の民衆の思いに応えるように、わかりやすく、日常生活に親しみある造形の仏像や彫刻を特徴とする（柳趙様式とも呼ばれ、重慶大足と、隣接する四川安岳に残る）。また他の大足石刻と違って、儒・仏・道の三教調和の像は見られず、密教的要素が強いのも特徴で、かつてはここが信者が集う密教道場だった。1999年に北山や南山など、他の大足石刻とともに、世界遺産に登録された。

景区の入口付近には北宋街と南宋街が整備されている

この奥にある宝頂山石刻、まるで皇帝陵のように雄大に空間が使われている

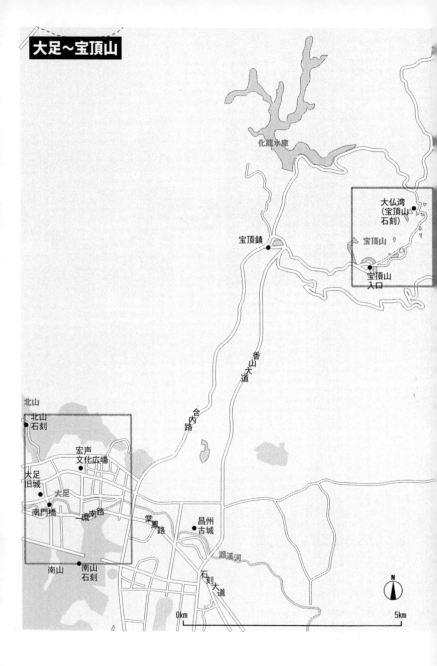

大足～宝頂山

化龍水庫

大仏湾
(宝頂山
石刻)

宝頂山

宝頂鎮

宝頂山
入口

香山大道

合内路

北山

北山
石刻

宏声
文化広場

大足
旧城

大足

南門橋

一環南路

棠香路

昌州
古城

瀬渓河

南山

南山
石刻

石刻大道

0km 5km

N

宝頂山石刻の構成

　　宝頂山石刻を中心に広大な敷地面積をもつ宝頂景区。景区への入口付近には当時の街並みを再現した「北宋街」と「南宋街」が整備されていて、宝頂景区前山門から先が景区となる。東へまっすぐに進むと「大足石刻博物館」が位置し、そこから北側へ折れてさらに進むと、宝頂山石刻の中心にいたる（また大足石刻博物館のそばには広大寺が立つ）。「大仏湾」が大足宝頂山最大の見どころで、馬蹄形（逆U字）の断崖に石刻がならぶ。この大仏湾の上部（宝頂山）に「聖寿寺」があり、その東側に「小仏湾」が残る。歴史的には小仏湾から先に開削され、その後、小仏湾を雛形として大仏湾が開削されたという（規模の小さい小仏湾は柳本尊教派の内道場で、規模の大きい大仏湾は一般信徒の需要に応えるための外道場だともいう）。また大仏湾の背後には、「宝頂老街」が位置する。

大足石刻博物館／大足石刻博物馆 ★☆☆
dà zú shí kè bó wù guǎn
だいそくせっこくはくぶつかん／ダアズウシイカアボオウウグゥアン

　　唐代の建築を思わせる壮大な外観をもつ大足石刻博物館。「芸術涅槃-大足石刻展」を主題とし、大足石刻を説明した「魅力（金石妙造）」、シルクロードを伝わった仏教の展示の「伝承（西仏東漸）」、唐代から南宋まで彫られた大足石刻の出

★★★
宝頂山石刻／宝顶山石刻 バァオディンシャンシイカア
大仏湾／大佛湾 ダアフウワァン
北山石刻／北山石刻 ベイシャンシイカア

★★☆
大足旧城／大足旧城 ダアズウジゥウチャン
南山石刻／南山石刻 ナンシャンシイカア

★☆☆
昌州古城／昌州古城 チャァンチョウグウチァアン
宏声文化広場／宏声文化广场 ホォンシェンウェンフゥアグゥアンチャアン

宝頂山

宝頂
老街

聖跡池

宝頂山

大仏湾
大仏湾

小仏湾

宝頂山
石刻

聖寿寺

参道

車道

広大寺

石刻
博物館

北宋街

游客
中心

入口

南宋街

N

0km　　　　　　　　　　　　　　　　　　　　　1km

土品を展示する「円融(大足和弦)」、大足の人びとや生活の様子を描いた「流響(大足記憶)」などが展示されている。ほかにも明代に宝頂山広大寺から出土した阿弥陀仏像、大足大鐘寺遺址出土から出土した北宋の弟子像、北宋の菩薩像、宝頂山大仏湾第14号から出土した南宋の毘盧仏頭像、明代の香炉など、豊富な収蔵品を抱える。2015年に開館した。

広大寺／广大寺 ★☆☆
guàng dà sì
こうだいじ／グゥアンダアスゥ

広大山(小宝頂とも呼ばれる)の頂に立つ仏教寺院の広大寺。宋代の創建で、大肚弥勒、善財童子などの彫像が見られる。南宋時代は宝頂山に48か所の寺院があったというが、聖寿寺とここ広大寺が現存している。大仏湾から500mほど距離がある。

Da Fu Wan
大仏湾鑑賞案内

大足宝頂山石刻の白眉と言える大仏湾
馬蹄形（逆U字）の断崖に刻まれた
天国や地獄をテーマにした石刻一大絵巻

大仏湾／大佛湾 ★★★
dà fú wân
だいぶつわん／ダアフウワァン

　　岩や崖など宝頂山の地形、樹木やしたたり落ちる泉水を利用した、仏教石刻が展開する大仏湾。高さ8〜25m、全長500mの断崖の東、南、北の三面に大型石龕が30あまり、そこに1万もの造像が見られる。密教柳本尊教派の趙智鳳（1159年〜）によって計画、開削されたもので、70余年に渡って造営は続いた（趙智鳳の没年は不明だが、91歳で没したともいう）。南端に九護法神将像、それに対応するように北端に十大明王像がおかれる予定だったが、完成直前に元の侵攻と南宋滅亡の危機となったことから、ぎりぎりで未完成となっている。U字型大仏湾の底部（中央、東部）に巨大な涅槃仏が横たわり、また実際に1000本もの手をもつ千手観音像も名高い。これら石刻は、多湿な四川盆地の気候から、洞窟状の「窟」をつくらず、外に向かって開放的な「龕」の形式となっている（毘盧洞と円覚洞のみが石窟）。時計まわりにぐるりとめぐるようになっている。

宝頂老街

九龍浴太
子図

柳本尊道
場図　㉑

地獄
変相

観無量
寿経
変相

大方便仏
報恩経変
相

父母
恩重経変
相

毘盧洞

㉓

㉒

十大
明王像

⑳

㉓

⑲

⑱

⑰

⑯

⑮

⑭

⑬

⑫

⑪

聖跡池

釈迦涅槃
聖跡図

宝頂山石刻

大仏湾

⑧

⑨

⑩

⑥

⑦

⑤

①

②

③

④

華厳

六道輪廻　聖像
図

護法神

千手
観音像

㉛

㉚

牧牛図

聖寿寺

㉔

㉕

㉖

㉗

㉘

㉙

円覚洞

万歳楼

0m　　　　　　　　　　　　　　　　　100m　　　　N

『大足石刻』(四川美术学院雕塑系編／朝花美術出版社)掲載図を参考に作成。

柳本尊行化道場図（第21号）／柳本尊行化道場図 ★★☆

liǔ běn zūn xíng huà dào chǎng tú

りゅうほんそんぎょうけどうじょうず／リゥベェンズゥンシィンフゥアダァオチャアントゥ

　宝頂山大仏湾を造営した趙智鳳が師とあおいだ柳本尊（855～942年）を中心とする柳本尊行化道場図。柳本尊は唐末の四川楽山出身で、秘密呪法を修法して、病を治すなど、人びとの苦しみを救った。目をえぐり、耳を切り、指を焼くなどの苦行を行なったと言われ、高さ5.2mの柳本尊像のほか、そのときの苦行十練図像も描かれている。この「成都瑜伽教主」と呼ばれた柳本尊の教派を、南宋時代に大足県出身の趙智鳳が受け継ぎ、大足宝頂山で仏教石刻を開削した。柳本尊行化道場図は、高さ14m、幅24mになる。

★★★
宝頂山石刻／宝顶山石刻 バァオディンシャンシイカア
大仏湾／大佛湾 ダアフウワァン
千手観音像／千手观音像 チィエンショウグゥアンインインシィアン
釈迦涅槃聖跡図／释迦涅槃圣迹图 シイジィアニエバァンシェンジイトゥ
六道輪廻図／六道轮回图 リュウダァオルゥンフゥイトゥ

★★☆
柳本尊行化道場図／柳本尊行化道場图 リィゥベェンズゥンシィンフゥアダァオチャアントゥ
地獄変相／地狱变相 ディユウビィエンシィアン
華厳三聖像／华严三圣像 フゥアユェンサァンシェンシィアン
万歳楼／万岁楼 ワァンスゥイロォウ
聖寿寺／圣寿寺 シェンショウスウ

★☆☆
十大明王像／十大明王像 シイダアミィンワァンシィアン
観無量寿経変相／观无量寿经变相 グゥアンウウリィアンショウジィンビィエンシィアン
大方便仏報恩経変相／大方便佛报恩经变相 ダアファンビィエンフウバァオエンジィンビィエンシィアン
父母恩重経変相／父母恩重经变相 フウムウエンチョンジィンビィエンシィアン
九龍浴太子図／九龙浴太子图 ジィウロォンユウタァイズゥトゥ
護法神群像／护法神群像 フウファアシェンチュンシィアン
牧牛図／牧牛图 ムウニィウトゥ
円覚洞／圆觉洞 ユェンジュエドォン
聖跡池／圣迹池 シェンジイチイ
宝頂老街／宝顶老街 バァオディンラァオジィエ

十大明王像（第22号）／十大明王像 ★☆☆
shí dà míng wáng xiàng
じゅうだいみょうおうぞう／シイダアミンワンシィアン

　十大明王は後期密教で説かれる神さまで、四方、四隅、上下の十方を守護する（大穢迹明王、大火頭明王、大威徳明王、大憤怒明王、降三世明王、馬頭明王、大笑金剛明王、無能勝明王、大輪金剛明王、歩擲明王）。悪を打ち砕く強い力を持ち、大日如来の意向を受けて、悪人など教化しづらい人びとの教化にあたる。そのために憤怒の表情をしていて、各種の武器と経典などを手にした外観を持つ（十忿怒尊ともいう）。この十大明王は、70年あまりを費やした大仏湾最後の造像で、元軍の侵攻で制作がとまったままの未完成作品となっている。

地獄変相（第20号）／地獄変相 ★★☆
dì yù biàn xiàng
じごくへんそう／ディユウビィエンシィアン

　すぐ近くの「極楽浄土＝天国（観無量寿経変相）」と対置するように「地獄」の様子が描かれた地獄変相。高さ14m、幅20mの変相図は巨大な絵巻物のようで、16種類の地獄の図が描かれている。刀の山、舌を抜かれる人、火の床地獄、寒氷地獄、逆さ吊りといった地獄とともに、地蔵王、冥王府の十王、判官、獄卒などの姿も見える。地獄という概念は仏教を通じて中国にもたらされたが、四川重慶地域では、道教の地獄＝豊都（重慶市）があることからも、好んで選ばれる図像だった。この地獄変相のなかに、高さ85cmの「養鶏をする女」が描かれ、美しい顔とともに高い完成度の彫刻となっている。

観無量寿経変相（第18号）／观无量寿经变相 ★☆☆
guān wú liàng shòu jīng biàn xiàng
かんむりょうじゅきょうへんそう／グゥアンウウリィアンショウジンビィエンシィアン

　はるか西方にあるという極楽浄土が描かれた観無量寿経変相図。『観無量寿経』は浄土三部経のひとつで、王舎城の太

弥勒本尊行化道場図をなしているのがこの教団の祖柳本尊

人びとが苦しむ様子が描かれた地獄変相

子が父王と母后を殺害しようとした悲劇から、ブッダが絶
望する母后に対して、阿弥陀仏と西方極楽浄土を観想する
ための観法を説く。阿弥陀仏という名前は、サンスクリット
語のアミターユス(無限の寿命をもつ者「無量寿」)、アミターバ(無
限の光明をもつ者「無量光」)からとられている。念仏を唱えるこ
とで、死後、苦しみのない極楽浄土に迎えられるといい、中
央アジアで成立した経典に中国的要素が加わったという。
龕の高さ8m、長さ21mの巨大なもので、飛天像も見える。

大方便仏報恩経変相(第17号)／大方便佛报恩経变相 ★☆☆
dà fāng biàn fú bào ēn jīng biàn xiàng
だいほうべんぶつほうおんきょうへんそう／ダアファンビィエンフウバオエンジンビィエンシィアン

　　幅16m、高さ7.3mの大きさで、『大方便仏報恩経』の説話
が刻まれた大方便仏報恩経変相。この『大方便仏報恩経』は、
父母、家族を捨てて出家するというブッダの行ないが、「儒
教的価値観に反する」という批判に応えるかたちで生まれ
た(須闍提太子などの例をあげ、人びとに報恩を説いた)。12組の連続
画の形式で、中央には釈迦半身像、両側には釈迦の前世、現
世の「孝行報恩説話」が描かれている。また変相図の一角に
ある50cmほどの、目をわずかに閉じ横笛を吹く「吹笛女」は
大足石刻中の傑作にあげられる。

父母恩重経変相(第15号)／父母恩重経变相 ★☆☆
fù mǔ ēn zhòng jīng biàn xiàng
ふぼおんじゅうきょうへんそう／フウムウエンチョンジンビィエンシィアン

　　仏教が中国化したことを端的に示す父母恩重経変相。高
さ7m、幅14mのこの石刻には、11組の人物図像が刻まれ、中
心には1組の夫婦が仏像の前に立つ。それは子供を授かるよ
う祈願している様子で、この「壊胎守護恩」からはじまって
子供を養育する父母への十重恩が視覚的に表現されている
(小さなころから恩がある父母に孝行を、という儒教的思想)。『父母恩
重経』は初唐のころにつくられた偽経で、ブッダの言葉のな

阿弥陀仏について記された観無量寿経の変相

子どもを抱く両親、中国的な要素が強い父母恩重経変相

かに中国古来の孝子の名前を入れる工夫もなされた。宋代の四川の家庭生活が見られるほか、上層には過去七仏像が、下層の右壁には阿鼻地獄図が残る。なお隣接する石刻第16号には雷神、風神などの自然現象が刻まれている。

九龍浴太子図（第12号）／九龙浴太子图 ★☆☆
jiǔ lóng yù tài zǐ tú
きゅうりゅうよくたいしず／ジィウロォンユウタァイズウトゥ

　宝頂山山頂の聖跡池からひいた水が、9匹の龍の口を通じて流れ、ブッダにそそぐ九龍浴太子図。ここに流れ落ちた水は涅槃仏の前を流れる九曲河、そして大足川へとそそぐ。ちょうど山にたまった水が、九龍浴太子図を通して流れ落ちる仕かけになっている（聖跡池には大足という地名の由来にもなったブッダの足跡が残る）。また九龍浴太子は、生まれたばかりのブッダを意味するとも言われ、「釈迦誕生図」とも呼ばれている。母マヤの右脇腹から生まれたブッダは、7歩歩き、右手で天を、左手で地平をさして「天上天下唯我独尊」と唱えたという。

釈迦涅槃聖跡図（第11号）／释迦涅槃圣迹图 ★★★
shì jiā niè pán shèng jī tú
しゃかねはんせいせきず／シイジィアニエパァンシェンジイトゥ

　大仏湾の描く逆U字型断崖のちょうど底部（頂部、東部）に横たわる長さ31mの涅槃仏（釈迦涅槃聖跡図）。1174〜1252年まで70数年にわたって造営が続いた大仏湾の中心にあたり、東崖すべてを占める。より大きく見せるため上半身だけを造仏し、下半身は岩のなかに隠して限りある空間を処理する技法となっている。悟りを開いたブッダは各地を旅しながら教化を続けていたが、やがて80歳になり、弟子のアーナンダを連れて、霊鷲山から故郷カピラヴァストゥへ向かう最後の旅に出た。その途中のクシナガラでとった食事で中毒を起こして下痢になり、沙羅双樹のあいだで北枕

大仏湾上部の聖跡池から水が落ちてくる、九龍浴太子図

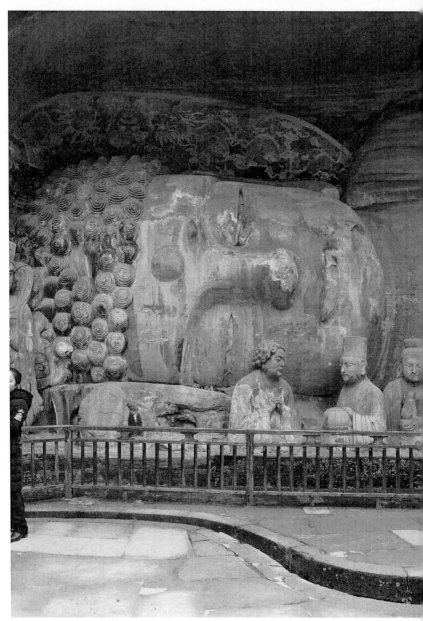

巨大なブッダの涅槃像が見られる釈迦涅槃聖跡図

となったブッダは涅槃に入った（涅槃とは、サンスクリット語のニルヴァーナからとられ、最初は生命の火が消えた状態＝「ブッダの死」を意味したが、のちに悟りに入った境地という意味あいになった）。涅槃像ではこのときのブッダの様子である、右脇を下にし、両足を上下に重ねて眠る姿が刻出されていて、仏法の永遠性を象徴する図となっている。上方には9人の天女、仏前には菩薩や帝釈天などが見える。

千手観音像（第8号）／千手观音像 ★★★
qiān shǒu guān yīn xiàng
せんじゅかんのんぞう／チィエンショウグゥアンイィンシィアン

　大仏湾に立つ大悲閣のなかの高さ7.7m、幅12.5mの岩壁全体に刻まれた千手観音像。孔雀が羽を広げたように黄金色に彩色された千手観音像で、南宋の淳熙、淳祐年間(1174〜1252年)に造像された。千手観音は「千の眼」と「千の手」をもって人びとを救済すると言われ、それが視覚的に表されている（人びとの救済願望が「千の手」として具現化された）。通常の千手観音の手は省略され、42本程度の場合が多いが、宝頂山のこの千手観音は金剛座に結跏趺坐する高さ3mの観音の坐像の背後に、1007本の手が彫られている。くわえて、手のかたちはひとつずつすべて異なり、掌にはひとつずつ眼が入っていて、文字通り「千の眼」と「千の手」をもつ（手は法力、眼は知恵を意味する）。観音菩薩の誕生日には、多くの参拝者がこの千手観音にお詣りをし、大足宝頂山は観音の聖地にもなっていた。

千手観音と四川地域

　五重二十七面の顔、千の眼、千の手で人びとを救済する千手観音は、ヒンドゥー教のシヴァ神の妃ドゥルガーをもとに成立したという（サンスクリット語ではアバローキテーシュバラ・サハシュラブジャローチャナ）。7世紀の唐代以降、中国で密教が

本当に手が1000本ある千手観音像

盛んになると、千手観音の信仰も広まり、唐代開元（713〜741年）年間からとくに四川地域や甘粛で多く造像された。四川地域では、大悲菩薩の異称でも親しまれ、大足宝頂山の千手観音も「大悲変相図」と呼ばれていた。

華厳三聖像（第5号）／华严三圣像 ★★☆
huá yán sān shèng xiàng
けごんさんせいぞう／フゥアユェンサァンシェンシィアン

　華厳教において重要な意味をもつ三聖の毘盧遮那仏、文珠菩薩、普賢菩薩がならぶ華厳三聖像。蓮台に足をおき、袈裟をまとった華厳三聖像は、大仏湾のなかで涅槃仏につぐ大きさで、高さ7m、約20度前傾状態で立つ。文殊菩薩は「根本大智」を、普賢菩薩は「理知慈悲」を表し、この二聖の総体であり、「智」と「悲」の究極のところに中央の毘盧遮那仏が位置する（三聖で法門を示すほか、『華厳経』では文殊と普賢菩薩は「因」、毘盧遮那仏を「果」とする）。この華厳三聖像は中唐以後、中国において成立した図像で、華厳宗の第五祖宗密（780〜841年）によってはじめてつくられたという。宗密は四川出身で、『円覚経』に心酔し、四川で具戒を受けたという縁もあり、華厳三聖像は四川重慶地域にもっとも多く残る（また華厳三聖に対して阿弥陀仏、観世音菩薩、勢至菩薩を阿弥陀の三聖という）。この華厳三聖像は、南宋の淳熙、淳祐年間（1174〜1252年）に造像されたもので、普賢菩薩のもつ宝塔は重さ500キロになるが、開削後、落ちることなくとどまっている。

六道輪廻図（第2号）／六道轮回图 ★★★
liù dào lún huí tú
ろくどうりんねず／リュウダァオルゥンフゥイトゥ

　宝頂山大仏湾を象徴する石刻にあげられる六道輪廻図。古代インドの理想的帝王である転輪王が車輪をもち、そこに生死を絶え間なく繰り返す「輪廻＝古代インドの世界観」が表現されている（輪廻とは、車輪が廻転するように無限に生死を繰

巨大な華厳三聖像、前傾姿勢で語りかけてくるよう

り返すこと)。高さ7.8m、幅4.8mの龕のなかに刻まれた六道輪廻図では、内側から外側に向かって4段階の彫刻がある。もっとも内側の第1部分は6つの仏光を胸から放つ「修行者」、第2部分はすべての衆生が生死を繰り返す「六道世界(天道、人間道、阿修羅道、畜生道、餓鬼道、地獄道)」。第三部分ではブッダの悟りの内容である、苦しみや迷いの因果関係(12の縁起)、その原因である無明を断つことを説明した「十二縁起」、第4部分は輪廻転生して次に生まれ変わる「18の図像」が描かれている。仏教では、この輪廻転生からの解脱(悟り)が目指された。

輪廻転生、六道、悟り

　古代インドでは、すべての生きものは死んでも魂はそのままで、何かに生まれ変わって「生と死を繰り返す」と信じられていた(前世で悪を行なったものは、次の生でその報いを受ける。ゆえに善行をしなくてはならない)。そして車輪が廻転するように、衆生が無限に生死を繰り返す世界を六道と呼んだ。天人の住む「天道」、生老病苦の「人間道」、鬼が常に戦いを繰り返す「阿修羅道」、弱肉強食の動物世界の「畜生道」、飢えと渇きの「餓鬼道」、苦しみの「地獄道」。これら輪廻転生からの解脱を目指し、ブッダの開いた悟りが十二縁起の理法だとされる。ブッダは苦しみや迷いを、無明→行→識→名色→六処→触→受→愛→取→有→生→老死と、12の因果関係で説明し、その根本原因である無明をとることを説いた。

護法神群像(第1号)／护法神群像 ★☆☆
hù fǎ shén qún xiàng
しょほうしんぐんぞう／フウファアシェンチュンシィアン

　仏法を守護する神さまが仁王立ちしている護法神群像。護法神には梵天、帝釈天、四天王、十二神将、十六善神、二十八部衆などがいて、そのうちの9体の護法神が見られ

生と死を永遠に繰り返す、六道輪廻図

勇ましい姿の護法神群像

断崖の地形にあわせて彫られた牧牛図

大仏湾のなかで2つしかない石窟状の円覚洞

る。逆U字型の大仏湾にあって、この護法神群像とちょうど
対置するように、十大明王像(未完)をおくことが当初から計
画されていた。

牧牛図(第30号)／牧牛図 ★☆☆
mù niú tú
ぼくぎゅうず／ムウニィウトゥ

　本来の自己を表す「牛」と、これを飼いならす「牧人(瑜伽行
者)」の関係を、「真の自己」を求める「自己」に見立てた牧牛
図(牛は、道からはずれて畑を荒らすことがあるので、鞭で調教し、その心
を引き戻す)。宋代中期に成立した図像で、誰にでも親しみや
すいように、牛と人の一体が実現していく様子が描かれて
いる。この牧牛図は、南宋の淳熙、淳祐年間(1174～1252年)に
造像され、大仏湾の地形を利用して彫られた。内容は、北宋
楊次公による『証道牧牛頌』をもとにしたもので、幅29.1m
になる12枚の長大な巻物となっている(一般的には10枚の絵を
もって表現することから「十牛図」とも言われた)。

円覚洞(第29号)／圓覚洞 ★☆☆
yuán jué dòng
えんかくどう／ユウェンジュエドォン

　摩崖石刻が続く大仏湾にあって、洞窟状の内部空間をも
つ円覚洞。如来が十二菩薩のために、大円覚の冥利を説い
たという『円覚経』の世界が広がり、正壁には法身仏(毘盧遮
那仏)、報身仏(盧舎那仏)、応身仏(釈迦牟尼仏)がならび、東西両
壁に十二円覚菩薩を安置する。『円覚経』は悟りを得るため
の時間と修行階位の関係、衆生そのものがもともと成仏し
ていて仏であると説き、唐代の四川で贋作され、禅宗で重
んじられて唐末から宋元代に流行した。南宋の淳熙、淳祐
年間(1174～1252年)の開削で、禅を修めるものの道場(円覚道
場)のような役割を果たしていた。高さ6.2m、幅9.55m、深さ
12.13mの石窟では、内部までに長さ3.9mの甬道が続き、滴

り落ちる水の音も聞こえる（正壁の東西両端に、趙智鳳自らが造像した高さ1.92mの趙本尊像と柳本尊像が見られるのも特徴）。

Xiao Fu Wan
小仏湾鑑賞案内

大仏湾よりも先に開削がはじまった小仏湾
趙智鳳が布教拠点とした聖寿寺
美しいたたずまいの万歳楼も立つ

万歳楼／万岁楼 ★★☆

wàn suì lóu

ばんざいろう／ワンスゥイロォウ

　大仏湾の南側上方に立つ八角四層の万歳楼。明の朱元璋の第11子である「蜀献王」朱椿が宝頂山を訪れたときにここで休息をとり、その場所に建てられた楼閣をはじまりとする。万歳楼という名称は、「当朝皇帝、万歳、万歳、万々歳」という言葉からとられていて、この文言の記された牌位もおかれていた。高さ21.2m、四周に8本の柱を配し、壁面には絵が飾られている。

聖寿寺／圣寿寺 ★★☆

shèng shòu sì

せいじゅじ／シェンショウスウ

　宝頂山石刻を造営した趙智鳳(1159年〜)が南宋時代に密教道場を開いた場所の聖寿寺。1177年に造営されたときは経寿寺といい、ちょうど聖寿寺の崖下に大仏湾石刻が位置する構図となっている(聖寿寺の造営とともに、この山は宝頂と名づけられた)。元兵の侵入によって破壊をこうむったが、その後、明代の1418年に、僧恵妙が聖寿寺の住持をし、7年間つとめ、伽藍を整備した。現在の建物は清朝の1868年に重修されたもので、九龍捧聖の扁額が見える山門のなかに、天王殿、玉

小仏湾

宝頂老街

宝頂
老街

聖跡池

舎利塔

釈迦涅槃
聖跡図

宝頂山

大仏湾

円覚洞

聖寿寺

小仏湾
小仏湾

万歳楼

聖寿寺

車道

参道

0m   300m   N

皇殿、大雄殿、三世仏殿と伽藍が続く。

小仏湾／小佛湾 ★★☆
xiǎo fú wān
しょうぶつわん／シャオフウワン

　宝頂山山頂の比較的平らで、開けた場所に刻まれた小仏湾。1177年に造営された聖寿寺とともに小仏湾の開削もはじまった。趙智鳳は宝頂山大仏湾の開削にあたって、まず小仏湾を彫ってそれを雛形とし、そこから大仏湾を彫ったため、この小仏湾は宝頂山石刻の原型と言える。造像の規模はより小さく単純で、風化も進んでいる。小仏湾の中央の昆盧庵には「柳本尊行図」「地獄変相図」の浮彫が刻まれている (趙智鳳が考案したという文字も残る)。また3層、高さ7mの宝頂経目塔も立つ。小仏湾は柳本尊教派の内道場で、大仏湾は一般向けの外道場だとも言われる。

聖跡池／圣迹池 ★☆☆
shèng jī chí
せいせきち／シェンジイチイ

　聖寿寺の北側(山門前)にある聖跡池。この池の水が枯れると、その底から長さ1.8m、幅1.1mの聖跡(仏足)が見える。この大きな足跡は、ブッダが昇天する前に残したものだと言われ、これが「大足」という地名の由来になったともいう。聖跡池の水は大仏湾へ落ちる仕掛けとなっていて、大足川の

★★★
大仏湾／大佛湾 ダアフウワン
釈迦涅槃聖跡図／釋迦涅槃圣迹图 シイジィアニエパァンシェンジイトゥ

★★☆
万歳楼／万岁楼 ワァンスゥイロォゥ
聖寿寺／圣寿寺 シェンショウスウ
小仏湾／小佛湾 シャオフウワン

★☆☆
聖跡池／圣迹池 シェンジイチイ
宝頂老街／宝顶老街 バァオディンラァオジィエ

水源のひとつとなっている。

宝頂老街／宝顶老街 ★☆☆
bǎo dǐng lǎo jiē
ほうちょうろうがい／バァオディンラァオジィエ

　宝頂山の北側に整備された料理店や土産物店がならぶ宝頂老街。大足が世界遺産に指定されたのち、多くの旅行者に応えるために2016年に整備された。

趙智鳳ゆかりの仏教寺院の聖寿寺

万歳楼、眼下には逆U字型の大仏湾が広がる

石門山鑑賞案内

石門山石刻は宝頂山、北山、南山、石篆山
とならぶ大足石刻のひとつで
世界遺産にも指定されている

石門山石刻／石门山石刻 ★☆☆
shí mén shān shí kè
せきもんさんせっこく／シイメンシャンシイカア

　大足東南20kmの石馬鎮に残る石門山石刻。全長71.8m、高さ3.4〜5mの断崖に、北宋から南宋にかけて彫られた石刻が残る。16の龕のうち、12の龕に造像が見られ、道教と仏教の二教合一であることを特徴とする。「十聖観音洞」「孔雀明王経変窟」「訶梨帝母龕」が仏教のもので、「三皇洞」「東岳夫婦像」が道教のもの。宋代、ふたつの宗教が混交していたことを示している。海抜374.1m。

玉皇大帝（第2号）／玉皇大帝 ★☆☆
yù huáng dà dì
ぎょっこうたいてい／ユウフゥアンダアディ

　道教の最高神である玉皇大帝が刻まれた石刻。南宋の1147年の造営で、高さ82cm、幅93cmの龕に中国の伝統服「袍服」を着た玉皇大帝が見える。左右に侍者を従える。

西方三聖十聖観音（第6号）／西方三圣十圣观音 ★☆☆
xī fāng sān shèng shí shèng guān yīn
せいほうさんせいじゅうせいかんのん／シイファンサァンシェンシイシェングゥアンイイン

　西方極楽浄土に棲む阿弥陀如来を中心とする石刻の西方

石門山

北山
北山
石刻

合
川
略

大足

大足
旧城

昌州
古城

南山
石刻

南山

濑溪河

石刻大道

渝蓉高速公路

石門山
石刻

石馬
真原堂

省道013

205省道

五金
博物館

龍水鎮

龍水鎮

678県道

龍水湖度
假区

山頂

0km   10km

N

三聖十聖観音(仏教)。西方三聖とは阿弥陀仏、観世音菩薩、大勢至菩薩をさし、その壁の左右にそれぞれ5つの蓮台のうえに立つ法具をもつ十聖観音がならぶ。南宋の1136～40年にかけて造営され、龕の高さは3.02m、幅は3.5mになる。

孔雀明王経変(第8号)／孔雀明王経変 ★☆☆
kǒng què míng wáng jīng biàn
くじゃくみょうおうきょうへん／コォンチュエミィンワァンジィンビィエン

孔雀のうえで結跏趺坐する孔雀明王が刻まれた孔雀明王経変(仏教)。高さ3.18m、幅3.12mで、周囲には菩薩、羅漢、文官、武官などの姿も見える。宋代のもの。

三皇洞(第10号)／三皇洞 ★☆☆
sān huáng dòng
さんこうどう／サァンフゥアンドォン

三皇洞は大足で最大の道教石窟で、古代中国の伝説上の天皇、地皇、人皇が刻まれている(道教)。天皇が「気(生命)」を、地皇が「神(死)」を、人皇が「生(罪厄)」を司る。この正面の三皇にくわえ、左右の壁面には北極四星の造像が見られる。高さ3.01m、幅3.9m、奥行き7.8mの洞窟で、南宋初期(1094～1151年)に造営された。

★★★
北山石刻／北山石刻 ベェイシャンシイカア
★★☆
大足旧城／大足旧城 ダアズウジィウチャン
南山石刻／南山石刻 ナァンシャンシイカア

★☆☆
石門山石刻／石门山石刻 シイメンシャンシイカア
石馬真原堂／石马真原堂 シイマアチェンユゥエンタァン
龍水鎮／龙水镇 ロンシュイチェン
中国大足五金博物館／中国大足五金博物馆 チョングゥオダアズウウゥジィンボオウグゥアン
龍水湖度假区／龙水湖度假区 ロンシュイフウドゥジィアチュウ
昌州古城／昌州古城 チャァンチョウグウチァン

東岳大帝淑明皇后（第11号）／东岳大帝淑明皇后 ★☆☆
dōng yuè dà dì shū míng huáng hòu
とうがくたいていしゅくめいこうごう／ドンユゥエダアディシュミンフゥアンホゥウ

　「泰山の神さま」である東岳大帝と、その妃の淑明皇后が
彫られた石刻。道教石窟で、東岳大帝と淑明皇后がならんで
座っている。龕の高さ2.4m、幅3.64mで、上部には地獄十王
も見える。

訶梨帝母（第9号）／诃梨帝母 ★☆☆
hē lí dì mǔ
かりていぼう／ハアリイデイムウ

　結跏趺坐した鬼子母神と、その膝下に子供の姿が見える
訶梨帝母龕。鬼子母神（訶梨帝母）は当初、王舎城で子どもを盗
み食べていた。ブッダはこれを戒めるため、彼女の末子を隠
したことが縁で、改心し、ブッダの弟子となった。安産子育
ての神さまとして信仰されている。

石馬真原堂／石马真原堂 ★☆☆
shí mǎ zhēn yuán táng
せきばしんげんどう／シイマアチェンユゥエンタァン

　石馬真原堂（大足馬跑天主教堂）は、重慶で最大規模のキリス
ト教会。大足では1780年にフランス人宣教師がキリスト教
をこの地に伝え、アヘン戦争後に布教が本格化した。この石
馬真原堂は1904年の修建で、その後、20世紀後半に修建が
繰り返された。鐘楼の高さは36mになる。

龍水鎮／龙水镇 ★☆☆
lóng shuǐ zhèn
りゅうすいちん／ロオンシュイチェン

　唐末の静南軍節度使韋君靖が設立した龍水義軍鎮をはじ
まりとする龍水鎮（韋君靖は北山石刻を開削した人物）。北宋時代
に商業場鎮となって農業、手工業、商工業が発展し、明清時

代に龍水鎮と呼ばれた。東南の連峰西山でとれる五金の集散地となり、豊富な鉱物をもとに大足地域を代表する鎮として知られた。この龍水鎮は、キリスト教や西欧人の進出に反対する大足仇教闘争(1886〜98年)の中心地であったことも特筆される。1882年、フランスの宣教師が天主教堂を修建し、その後、1891年に重慶が開港するなか、キリスト教会の焼き討ちや、西欧人の排斥運動が盛りあがった(1898年には四川から湖北、湖南、貴州および、義和団運動以前に「順清滅洋」をスローガンとした)。現在も大足の工業、経済の中心地となっている。

中国大足五金博物館／中国大足五金博物馆 ★☆☆
zhōng guó dà zú wǔ jīn bó wù guǎn
ちゅうごくだいそくごきんはくぶつかん／チョングゥオダアズウウジィンボオウグゥアン

　五金とは金・銀・銅・鉄・錫のことで、大足(龍水鎮)は東南部に西山という連峰を抱え、そこで石炭、石灰、鉄などの五金が産出されてきた。そのため、大足は「五金の郷」とも言われ、2011年、五金の集散地であった龍水鎮に中国大足五金博物館が開館した。五金の起源、中国における金属の発展、五金がどのように日常生活に影響を与えたか、などを200あまりの図版とともに紹介する。新石器時代の晩期から現在にいたるまでの、1200もの鉄器や銅器など、さまざまな道具も収蔵する。

龍水湖度假区／龙水湖度假区 ★☆☆
lóng shuǐ hú dù jià qū
りゅうすいこどかく／ロォンシュイフウドゥジィアチュウ

　「大足の西湖(重慶西湖)」ともたたえられる美しい湖が広がる龍水湖度假区。この龍水湖には豊富な水量をもち、108の島が小さな島が点在する。周囲は変化に富んだ自然が見られ、自然と休暇、文化体験ができるリゾート地として整備されている。沱江支流の瀬渓河がここから流れて長江へ注ぐ。

観光のあいまに最適な小吃を出す屋台

中距離バスが大足市街と他の街を結ぶ

Shi Zhuan Shan
石篆山鑑賞案内

宝頂山、北山、南山、石門山、石篆山
世界遺産に指定されたこれら大足石刻
このうち石篆山は大足市街の西郊外に位置する

石篆山石刻／石篆山石 ★☆☆
shí zhuàn shān shí kè

せきてんさんせっこく／シイチュウアンシャンシイカア

北宋(1082～96年)時代に彫られた石刻が残る石篆山。子母殿(仏湾)と千仏崖というふたつの景区からなり、道教、仏教、儒教の3教像が共存する(1000余体の造像が見られる)。ここは四川で知られた希昼禅師が道場を開いた場所で、高さ3～8m、長さ130mの断崖に10の龕が残る。大足の西南27kmに位置する。

志公和尚(第2号)／志公和尚 ★☆☆
zhì gōng hé shàng

しこうおしょう／チイゴォンハアシャン

観世音菩薩の化身と見られる志公和尚が刻まれた石刻。頭巾をかぶり、腹が少し出た笑顔の志公和尚と、その弟子の姿が見える。宋代のもので、龕の高さ2.34m、幅2.54mになる。北山石刻の多宝塔にも、志公和尚を題材とした意匠が見られる。

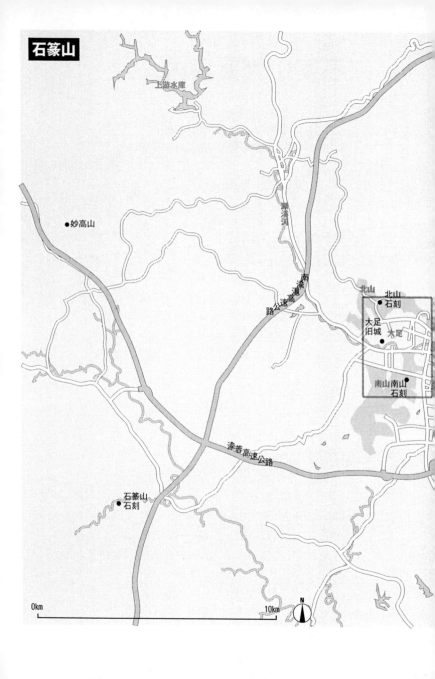

石篆山

上游水庫

妙高山

漭溪洞

南瀋濡高速公路

北山
北山
石刻

大足
旧城
大足

南山南山
石刻

渝蓉高速公路

石篆山
石刻

0km　　　　　　　　　　10km

N

孔子（第6号）／孔子 ★☆☆

kǒng zǐ

こうし／コンツウ

　儒教の創始者である孔子と、その弟子の十哲が彫られた
孔子龕。右手に宝扇をもった坐像の孔子を中心に、左側に顔
回、閔子騫、冉有、子游、子貢が、右側に子路、冉伯牛、宰我、冉
求、卜商の像がおかれている（また左右の門柱には、半身の武士も見
える）。高さ1.94m、幅3.25mで、北宋の1088年に造営された。

三身仏（第7号）／三身佛 ★☆☆

sān shēn fó

さんしんぶつ／サァンシェンフォオ

　毘盧遮那仏、盧舎那仏、釈迦牟尼の主尊三仏を安置する三
身仏龕。毘盧遮那仏は「輝くものの子」を意味し、密教では大
日如来をさす。高さ1.47m、幅6.36mの龕には中心の主尊三
仏のほか、左右にアーナンダと迦葉が立つ。北宋の1082年
に造仏された。

太上老君（第8号）／太上老君 ★☆☆

tài shàng lǎo jūn

たいじょうろうくん／タァイシャンラァオジュン

　道教の始祖である太上老君（老子）をまつった太上老君龕
（太上老君とは老子が神格化された呼び名）。太上老君像＝老子像を
中心に、7尊ずつの真人が左右に安置されている。また高さ
1.7m、幅3.43mの龕の外には護法神将軍が構えている。北宋

★★★

北山石刻／北山石刻 ベェイシャンシイカア

★★☆

大足旧城／大足旧城 ダアズウジィウチャン

南山石刻／南山石刻 ナァンシャンシイカア

★☆☆

石篆山石刻／石篆山石刻 シイチュゥアンシャンシイカア

妙高山／妙高山 ミィアオガァオシャン

の1083年に造営された。

妙高山／妙高山 ★☆☆
miào gāo shān
みょうこうさん／ミィアオガァオシャン

　妙高山には南宋紹興年間の1144年ごろに刻まれた石刻
が残る。山頂に妙興寺が立ち、そのそばに南宋時期に流行し
たブッダ、孔子、老子という三教合一の石刻が見られる(高さ
15mほどの山崖の中下部位に、8つの龕が残る)。大足から37km離れ
た季家鎮曙光村に位置する。

大足区は重慶市の西部に位置し、四川省に隣接している

新鮮な野菜を調理する大足のレストラン

大足郊外城市案内

重慶と成都を結ぶ成渝古道の走る大足
郵亭鎮は大足、成都、重慶を結ぶ
交通の要衝となっている

成渝古道／成渝古道 ★☆☆
chéng yú gǔ dào
せいゆこどう／チェンユウグウダァオ

　　四川地域の二大都市である成都と重慶（渝州）を結ぶ成渝古道。唐宋時代、巴蜀地区は経済発展したことを受け、陸路交通が盛んになった。重慶通遠門（西門）から出て、永川、郵亭、栄昌へいたり、道は成都迎暉門（東門）へと続いていく。重慶西の四川盆地の縁にあたる丘陵（西山）をさけるように走り、大足へは郵亭鎮が足がかりの街となる。この成渝古道には南道と北道のふたつがあり、南道は東大路、北は東小路と呼ばれた（交通量が多かったのが川東大路こと東大路で、巴県大路ともいった）。

郵亭鎮／邮亭镇 ★☆☆
yóu tíng zhèn
ゆうていちん／ヨウティンチェン

　　大足南30kmに位置する郵亭鎮は、大足の南大門にあたる。この地方の交通要所で、高速鉄道や高速道路、成渝古道が集まっている（また郵亭鎮西12kmの栄昌は、758年におかれた昌州で、大足に遷るまでこの地方の中心地であった）。郵亭鎮は重慶西部から成都へと続く経済圏（渝西経済走廊）の一角として期待され、双橋経済技術開発区も位置する。大足の名物料理である郵亭鯽

大足郊外

四川省

妙高山

北山
石刻

大足
旧城

大足

南山
石刻

濑溪河

宝頂山
石刻

宝頂山

饒国梁
故居

石篆山
石刻

渝蓉高速公路

石門山
石刻

南涪鉄路

重慶市
大足区

龍水鎮

龍水湖
度假区

双橋経済
技術開発区

郵亭鎮

郵亭鎮

栄昌

成渝高速公路

大足駅

大足
南駅

勝渝専道

永川

永川

鉄山
古鎮

0km

30km

N

魚が食べられている。

饒国梁故居／饶国梁故居 ★☆☆
ráo guó liàng gù jū
じょうこくりょうこきょ／ラァオグゥオリィエングウジュウ

　美しい自然に囲まれてたたずむ饒国梁故居。2階建ての西洋と中国の折衷様式の建築で、饒国梁、饒国模の兄妹が暮らした。ここ大足出身の饒国梁は、清朝末期の1911年に広州で黄花崗起義を起こし、鎮圧され、生命を落としたが、現在では革命烈士として尊敬されている。あたりは白鷺が生息し、豊富な魚米が産出される。

鉄山古鎮／铁山古镇 ★☆☆
tiě shān gǔ zhèn
てつざんこちん／ティエシャングウチェン

　重慶市と四川省との境近く、三方を山に囲まれて、古い街並みが残る鉄山古鎮。清朝乾隆帝の記録では、客家の蔡氏が一族を連れてここに定住したことがはじまりで、原名を鉄山坪といった。また双河場といい、現在は双河街道という地名となっている。長さ500m（現存300m）、幅2.5mの両廊夾一

街の両脇に黒い瓦、柱に支えられた木の庇が突き出している（両側から通りをはさむよう）。木の柱は左右対称に108本続き、雨を避ける目的の庇の下ではお茶を飲む人の姿も見える。

四川重慶の
仏教と絲綢之路

中堅の省と同じ規模の人口や面積をもつ重慶市
重慶市郊外の大足に残る仏教遺跡は
黄河中流域とは異なった姿を今に伝える

西南シルクロードとは

　中央アジアから河西回廊をへて中国に伝わった仏教。漢の武帝(在位紀元前141〜前87年)がこのシルクロードを開拓し、西方世界に張騫が派遣されたとき、「バクトリア=中央アジアで、蜀(四川)の布を見た」という。このことは一般的に知られるシルクロードとは別に、インド、ベンガル、ミャンマー、雲南、四川を結ぶ「西南シルクロード」の存在を示すものだという。敦煌から華北ルート、南海から広州へいたるルートはじめ、多様なルートで仏教は中国に伝わったと考えられ、甘粛から成都、長江を通じて南京(南朝)へ通じる道もあったと考えられている(インドの仏像の中国への伝播は、四川地域が最初期だともいう)。仏教の信仰が盛んになった3〜6世紀の魏晋南北朝時代、347年に東晋の領域となって以来、前秦の支配を除けば、四川は宋、斉、梁と南朝領として推移し、江南には残っていない南朝の仏教造形物も見られる。四川重慶と、南朝の都は距離は離れているものの、長江の水運を通じて、情報、物資の往来は盛んに行なわれていた。

四川の仏教とは

　東晋(317〜420年)時代に慧遠の弟慧持が入蜀して成都龍

淵寺で布教し、南北朝時代から四川の仏教は盛んになった
という。四川重慶地域は、中原や長江下流域に暮らす「漢族
の世界」と「西南少数民族の世界」の境界にあたり、四方を山
に囲まれて周囲から隔絶されていて、独自性が強いことで
知られてきた。この地域の造像活動は長安(陝西)に近い北部
から中西部、東部というように遷っていき、唐代に彫られた
世界最大の大仏の残る「楽山」や、古くは道教聖地であった
中国四大仏教名山の「峨眉山」、集中して仏教石刻が残る「大
足」などが位置する(華北の石窟造像は、巴中と広元をへて四川盆地全
域に伝わった)。これら四川重慶地域の仏教の特徴は、長安や
洛陽と違って、廃仏で仏教が打撃を受けたあとも脈々と造
仏が続き、皇帝や政治権力との関係よりも、民衆との関係が
強いということがあげられる。また道教信仰発祥地のひと
つ「青城山」、道教で冥界に通じるという「豊都」があること
からも、土着的な民俗信仰、呪術的要素が仏教と習合してい
る。

石窟と石刻とは

　紀元前3世紀、日差しの強いインドではじめて宗教的修練
の場として石窟がつくられ、紀元前2世紀には仏教石窟も見
られるようになった。石窟は大きくわけてヴィハーラ窟(僧
の起居する精舎、僧房)と、チャイティア窟(仏塔や仏像が安置される)
があり、仏教とともにこの仏教石窟も中央アジアから中国
へと伝播した。中国では西方世界への玄関口となる敦煌で、
前秦の366年にはじめて開削されたと伝えられる。この仏教
石窟に仏像や仏画などが刻まれ、座禅を組む場所であった
ことから、広い内部空間がとられている。シルクロード(河西
回廊)や華北にはこの様式のものが多い一方で、四川盆地で
は断崖を奥に彫らず、崖の表面に仏龕をうがつ摩崖形式の
ものが多い(内部空間がない)。これは四川の地が多雨多湿であ
ることや、この地の「丹霞」と呼ばれる赤い砂礫岩が石窟の

展示方法も工夫されている、大足石刻博物館

開削に向いていないことがあげられる。そのため前者の「石窟」と区別して、大足の仏教石窟は「石刻」と呼ばれている。

参考文献

『大足県志』(大足県县志编修委员会編纂/方志出版社)
『大足石刻芸術』(中国外文出版社編集/美乃美)
『中国・四川省 四川楽山凌雲寺大仏の歴史と現状』(気賀沢保規/仏教芸術)
『金録齋法に基づく道教造像の形成と展開』(小林正美/東洋の思想と宗教)
『中国古寺巡礼ガイド(5) 石仏の里四川盆地・大足石窟へ』(赤津靖子/大法輪)
『四川省における南方シルクロード(南伝仏教)の道の研究』(シルクロード学研究)
『中国中世仏教石刻の研究』(氣賀澤保規編/勉誠出版)
『大足石刻』(四川美术学院雕塑系編/朝花美術出版社)
『大足宝頂山石刻の説話的要素』(菊竹淳一/仏教芸術)
『中国密教』(立川武蔵・頼富本宏編/春秋社)
『華厳三聖像の形成』(鎌田茂雄/印度学仏教学研究)
『円覚十二菩薩の形成』(鎌田茂雄/印度学仏教学研究)
『大足宝頂山石刻の思想史的考察』(鎌田茂雄/国際仏教学大学院大学研究紀要)
『秘境・西南シルクロード』(孔健/学生社)
『十忿怒尊について』(大西秀城/密教文化)
『清末四川における半植民地化と仇教運動』(鉄山博/歴史学研究)
『『大方便仏報恩経』の成立問題』(Sumet SUPALASET/印度學佛教學研究)
『大足宝頂山の「父母恩重経変相像」と「報父母恩徳経」』(新井慧誉/豊山学報)
『絵解き』(「一冊の講座」編集部編/有精堂出版)
『大足石刻研究』(刘长久・胡文和・李永翘/四川省社会科学院出版社)
『大足石刻内容总录』(四川省社会科学院编/四川省社会科学院出版社)
『大足石刻』(永川地区文化局/大足县文物保管所)
认识大足_重庆市大足区人民政府http://www.dazu.gov.cn/
馆藏文物- 大足石刻研究院官网http://www.dzshike.com/
重庆大足石刻,大足石刻旅游,尽在重庆大足石刻旅游网
http://www.dazusk.com/
『世界大百科事典』(平凡社)

まちごとパブリッシングの旅行ガイド
Machigoto INDIA , Machigoto ASIA , Machigoto CHINA

大足と西南中国

0km　　　　　　　　　　　　　　　　1000km　N

重慶～成都

0km   200km   N

大足

N
0km   2km

大足旧城

0km ---- 2km N

明清時代の大足旧城

N

北山

0km   1km

N

北山石刻

N

0m   200m

大足～宝頂山

0km   5km

宝頂山

N 0km 1km

大仏湾

0m _____ 100m   N

小仏湾

0m 300m

N

石門山

0km   10km

N

石篆山

N

0km　　　　　　　　　　　　　　　　10km

大足郊外

0km　　　　　　　　　　　　　　　　　　　　30km　N

【車輪はつばさ】
南インドのアイラヴァテシュワラ寺院には
建築本体に車輪がついていて
寺院に乗った神さまが
人びとの想いを運ぶと言います

An amazing stone wheel of the Airavatesvara Temple
in the town of Darasuram, near Kumbakonam in the South India

まちごとチャイナ
重慶 004

大足
天国と地獄の「石刻絵巻」
［モノクロノートブック版］

「アジア城市（まち）案内」制作委員会
まちごとパブリッシング
http://machigotopub.com

・本書はオンデマンド印刷で作成されています。
・本書の内容に関するご意見、お問い合わせは、発行元の
　まちごとパブリッシング info@machigotopub.com までお願いします。

まちごとチャイナ
新版 重慶004大足
〜天国と地獄の「石刻絵巻」

2020年 8月15日　発行

著　者　　「アジア城市（まち）案内」制作委員会
発行者　　赤松　耕次
発行所　　まちごとパブリッシング株式会社
　　　　　〒181-0013　東京都三鷹市下連雀4-4-36
　　　　　URL http://www.machigotopub.com/
発売元　　株式会社デジタルパブリッシングサービス
　　　　　〒162-0812　東京都新宿区西五軒町11-13
　　　　　清水ビル3F
印刷・製本　株式会社デジタルパブリッシングサービス
　　　　　URL http://www.d-pub.co.jp/

MP238